Y fersiwn Saesneg

Addasiad o **Peter's Pebbles** gan Cherie Zamazing

Cyhoeddwyd gyntaf gan Top That! Publishing plc, Tide Mill Way, Woodbridge, Suffolk

Hawlfraint y testun a'r arlunwaith © Cherie Zamazing 2013

Cedwir pob hawl

Y fersiwn Cymraeg

Addaswyd gan Ffion Eluned Owen

Golygwyd gan Adran Olygyddol Cyngor Llyfrau Cymru

Dyluniwyd gan Owain Hammonds

Cyhoeddwyd gyda chymorth ariannol Cyngor Llyfrau Cymru

Cyhoeddwyd yn Gymraeg yn 2014 gan Atebol Cyfyngedig, Adeiladau'r Fagwyr,

Llanfihangel Genau'r Glyn, Aberystwyth, Ceredigion SY24 5AQ

Hawlfraint y cyhoeddiad Cymraeg © Atebol Cyfyngedig 2014

www.atebol.com

Y Cerrig Hud

Cherie Zamazing

Addaswyd gan Ffion Eluned Owen

Roedd Cai wrth ei fodd yn casglu cerrig mân – rhai mawr, rhai bach, rhai cul, rhai trwchus, rhai crwn a rhai gwastad! Roedd yn hoffi peintio'r cerrig a'u troi'n bob math o wahanol anifeiliaid.

Cai loved collecting pebbles – large ones, small ones, thin ones, fat ones, round ones, flat ones! He painted his pebbles to look like all sorts of different animals.

Un diwrnod, roedd Cai wedi bod
yn brysur yn peintio carreg newydd i edrych
fel pysgodyn. Wrth iddo fynd ati i'w gosod ar y silff, fe lithrodd
Cai, a SBLASH – dyma'r garreg yn glanio yn y bowlen bysgod.

One day, as Cai was putting his newly painted fish pebble on the shelf,
he slipped and the pebble SPLOSHED into his fish bowl.

Yn sydyn, roedd yna fflach o olau a llond y lle o SWIGOD byrlymus a sŵn FFISIAN cyffrous! Neidiodd Cai mewn syndod wrth weld pysgodyn lliwgar newydd yn nofio yn y bowlen. Roedd carreg Cai wedi dod yn fyw!

Suddenly, there was a flash of light and a BUBBLE and a FIZZ! Cai jumped back and saw a new colourful fish swimming around the fish bowl. Cai's pebble had come to life!

'Waw!' meddai Cai yn llawn cyffro. 'Os ydy'r garreg siâp pysgodyn wedi dod yn fyw mewn dŵr, beth fydd yn digwydd i'r garreg siâp parot yn yr awyr?'

'Wow! If my fish pebble came to life in water, maybe my parrot pebble will come to life in the air!' Cai thought, excitedly.

Agorodd Cai y ffenest a thaflu'r garreg i'r awyr!

Cai opened his window and threw his parrot pebble out into the air!

CRAWC!

Gydag un symudiad SLIC, roedd carreg
siâp parot Cai wedi dod yn fyw!

With a SWISH and a SWOOP, Cai's pebble came to life!

Edrychodd Cai ar y garreg siâp mwnci.
'Hmm, mae mwncïod yn hoffi bananas,' meddyliodd.
Felly aeth ati i osod y garreg yn y bowlen ffrwythau!

Mewn chwinciad, fe FFRWYDRODD
y ffrwythau dros bob man ac yna ...

Cai then picked up his monkey pebble.
'Hmm, monkeys like bananas,' he thought.
So he put the pebble into the fruit bowl!

In an instant, the fruit EXPLODED
everywhere and then ...

WW-WW-AA-AA!'

Roedd mwnci yn y gegin!

A monkey was in the kitchen!

Aeth Cai â'r garreg siâp crocodeil i'r ystafell ymolchi.
Llenwodd y bath a gollwng y garreg i'r dŵr.
Roedd SWIGEN a SBLASH swnllyd! Ni allai Cai gredu ei lygaid
pan welodd grocodeil anferth yn eistedd yn y bath!

Next, Cai took his crocodile pebble into the bathroom.
He filled the bath full of water, and dropped in
the pebble. There was a BUBBLE and a SPLASH
and Cai couldn't believe his eyes
when a huge crocodile
appeared in the bath!

'Dyma fap o'r byd,' meddai Cai wrth yr anifeiliaid, gan bwyntio at y map oedd ar wal ei ystafell wely. Defnyddiodd y map i ddangos ble roedd ei hoff anifeiliaid yn byw.

Back in his bedroom, Cai showed the animals his map and pointed out where in the world they normally lived.

Yna, dyma mam Cai yn gweiddi ...
'Cai! Mae swper yn barod!'

Just then, Cai's mum called ...
'Cai! Your dinner is ready!'

SHHHHHH!

'Arhoswch yma,'
meddai Cai wrth yr anifeiliaid.

'Wait here,' Cai said to the animals.

Tra oedd Cai yn cael ei swper, aeth y mwnci i nôl gweddill y cerrig yr oedd Cai wedi eu peintio a'u gosod yn y lleoedd cywir ar y map.

While Cai was downstairs, the monkey picked up the rest of Cai's painted pebbles and placed them on the map where Cai had said they lived.

Yn sydyn, clywodd Cai sŵn a chynnwrf mawr yn dod o'r llofft.
Yn ffodus, roedd Mam a Dad yn rhy brysur yn siarad i sylwi
ar y sŵn. Llowciodd Cai ei fwyd yn gyflym a brysio yn ôl i'w
ystafell wely.

Suddenly, Cai could hear an almighty commotion coming from upstairs. Luckily, Mum and Dad
were too busy talking to notice. Cai quickly finished his food and raced back to his bedroom.

Cafodd Cai sioc wrth weld bod yr holl gerrig yr oedd wedi eu peintio wedi dod yn fyw!

Cai gasped when he saw that all of his painted pebbles had come to life!

'Allwch chi ddim
aros yma neu fe fydd Mam a Dad yn flin.
Mae angen imi ddod o hyd i gartref i chi.'

'I'll get in trouble if you stay here. I need to find a place for you all to live!'

Yna, fe gafodd Cai syniad!
Rhedodd i'w gwpwrdd i nôl carreg anferth.
Roedd wedi bod yn pendroni beth i'w beintio arni ers tro byd ...

Then, Cai had an idea!
He ran to his cupboard and pulled out a huge pebble.
He had been saving it, but he hadn't known what to paint until now ...

Arhosodd Cai
nes bod pawb
yn cysgu, cyn arwain
yr anifeiliaid yn ddistaw
allan o'r tŷ ac i lawr i'r traeth.

Cai waited until everyone was asleep
and then led the animals quietly out
of the house and down to the beach.

Dringodd Cai a rhai o'r anifeiliaid i'r cwch.
Gyda rhai o'r anifeiliaid eraill yn nofio a hedfan gerllaw,
rhwyfodd Cai allan i'r môr mawr.

Cai climbed into his boat, and together he and the animals swam, rowed and flew out into the ocean.

Ar ôl iddyn nhw deithio'n ddigon pell, cododd Cai y garreg yn uchel i'r awyr a'i thaflu gyda'i holl nerth!

When they had travelled far enough, Cai lifted the big pebble into the air and threw it with all his might!

Ar unwaith, daeth sŵn rhuo taranllyd.
Fe ddechreuodd y cwch siglo o un ochr i'r llall
wrth i'r tonnau godi yn uwch ac yn uwch ...

Immediately, there was a deep rumbling
sound and the boat began to rock as
the waves rose higher and higher ...

Yn sydyn, ymddangosodd ynys enfawr o ganol y tonnau!
Roedd yno jyngl yn llawn planhigion a choed palmwydd,
nentydd glas a chlir, rhaeadrau, mynyddoedd a
thraeth o dywod melyn, yn union fel yr oedd
Cai wedi ei beintio ar ei garreg anferth!

Suddenly, out of the waves a huge island appeared!
There were jungles full of plants and palm trees,
clear blue streams, waterfalls, mountains
and, of course, a yellow sandy beach,
just as Cai had painted
on his large pebble!

Wrth i'r haul godi, daeth yr anifeiliaid hapus i chwifio hwyl fawr i Cai wrth iddo gychwyn rhwyfo tuag adref.

'Fe ddof i'ch gweld yn fuan!' gwaeddodd Cai.

As the sun came up, all of the happy animals waved goodbye to Cai as he rowed his way back home! 'I'll visit you soon!' he called.

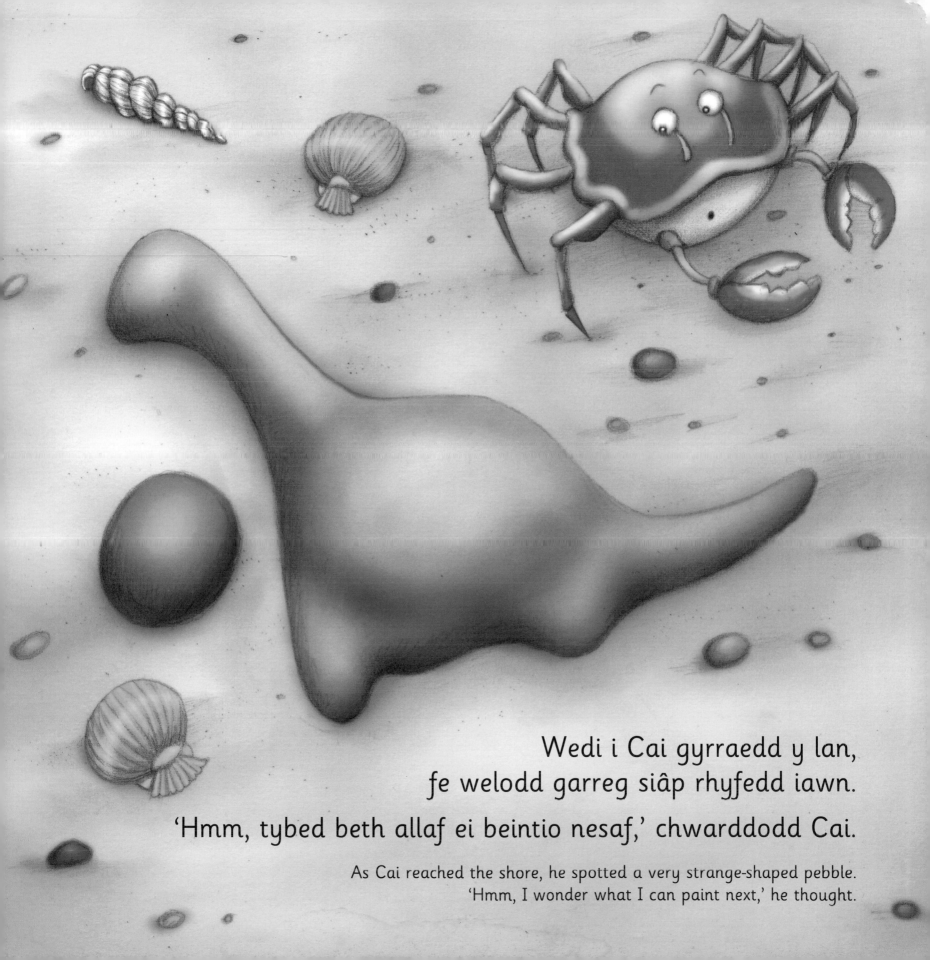

Wedi i Cai gyrraedd y lan,
fe welodd garreg siâp rhyfedd iawn.

'Hmm, tybed beth allaf ei beintio nesaf,' chwarddodd Cai.

As Cai reached the shore, he spotted a very strange-shaped pebble.
'Hmm, I wonder what I can paint next,' he thought.

www.atebol.com